Die Knospen heimischer Laubgehölze

im Vergleich

QUELLE & MEYER
BESTIMMUNGSKARTEN

Berg-Ahorn
Acer pseudoplatanus

Feld-Ahorn
Acer campestre

Spitz-Ahorn
Acer platanoides

Winter-Linde
Tilia cordata

Hänge-Birke
Betula pendula

Rot-Eiche
Quercus rubra

Trauben-Eiche
Quercus petraea

Stiel-Eiche
Quercus robur

Schwarz-Erle
Alnus glutinosa

Grau-Erle
Alnus incana

Wolliger Schneeball *Viburnum lantana*

Gewöhnlicher Schneeball *Viburnum opulus*

Weißdorn *Crataegus* spec.

Gewöhnliche Waldrebe *Clematis vitalba*

Rote Heckenkirsch *Lonicera xylosteum*

Himbeere
Rubus idaeus

Echter Kreuzdorn
Rhamnus cathartica

Hunds-Rose
Rosa canina

Gewöhnliche Haselnuss
Corylus avellana

Schlehe
Prunus spinosa

Europäisches Pfaffenhütch
Euonymus europaea

BÄU

Vogelbeere
Sorbus aucuparia

Speierling
Sorbus domestica

Mehlbeere
Sorbus aria

Elsbeere
Sorbus torminalis

Ross-Kastanie
Aesculus hippocastanum

UME

Rot-Buche
Fagus sylvatica

Wild-Birne
Pyrus pyraster

Walnuss
Juglans regia

Sal-Weide
Salix caprea

Silber-Weide
Salix alba

STRÄU

Gewöhnl. Berberitze
erberis vulgaris

Gewöhnlicher Besenginster
Cytisus scoparius

Faulbaum
Frangula alnus

Kornelkirsche
Cornus mas

Blutroter Hartriegel
Cornus sanguinea

Brombeere
Rubus fruticosus agg.

Liguster
Ligustrum vulgare

Heidelbeere
Vaccinium myrtillus

Roter Holunder
Sambucus racemosa

Schwarzer Holund
Sambucus nigra

…ewöhnliche Esche
…raxinus excelsior

Hainbuche
Carpinus betulus

Traubenkirsche
Prunus padus

Ess-Kastanie
Castanea sativa

Vogel-Kirsche
Prunus avium

Berg-Ulme
Ulmus glabra

Ahornblättrige Platane
Platanus × hispanica

Schwarz-Pappel
Populus nigra

Kanadische Pappel
Populus × canadensis

Zitter-Pappel
Populus tremula

Grau-Erle Foto: G. Tubes

Bildnachweis:
Innenteil: Alle Bilder stammen von Gisela Tubes.
Coverbilder (Lizenz: CC BY-SA 3.0/2.0): MüBe (o.r.); Public Domain: AnRo0002 (u. l., o.l.)

Projektberatung und Zusammenstellung: Gisela Tubes

Weiterführende Literatur:
Schmidt/Hecker: Die wildwachsenden und kultivierten Laub- und Nadelgehölze Mitteleuropas (ISBN 978-3-494-01800-3)
Lüder: Grundkurs Gehölzbestimmung (ISBN 978-3-494-01915-4)

ISBN 978-3-494-01605-4
Best.-Nr.: 494-01605
www.quelle-meyer.de

9 783494 016054

QUELLE & MEYER
BESTIMMUNGSKARTEN